Chère Lina
Je t'offre ce livre
en espérant qu'il
t'apportera un certain
réconfort et apaisera ta
peine pour un
moment
La famille Lecours

Éditions EXLEY sa 2003
13, rue de Genval - B 1301 Bierges

traduction Lise-Éliane Pomier
ISBN 978-2-87388-307-2-DL 7003/2003/08
Imprimé en Chine

6 8 10 12 11 9 7 5

Depuis plus de 25 ans Helen Exley *édite, dans le monde entier, de superbes petits-livres. Les raisons de son succès tiennent à trois éléments : l'importance qu'elle attache aux valeurs humaines, au sens de la vie, à la beauté, ensuite le soin infini, le discernement attentif avec lesquels elle compose chaque page de chaque livre et enfin son exigence de qualité pour l'objet-livre. Voilà pourquoi on adore donner et recevoir les beaux-petits-livres-cadeaux* Helen Exley.

PERDRE QUELQU'UN QU'ON AIME

Voyage au cœur du chagrin

TEXTES ET AQUARELLES DE

Susan Squellati Florence

UN LIVRE-CADEAU HELEN EXLEY

Lorsque nous perdons un être cher, nous perdons en même temps une partie de nous-mêmes. Il n'existe pas de mots pour décrire la profondeur de notre chagrin. Lorsque mon père est mort, j'ai fait un cauchemar. Un inconnu, dans le noir, m'avait abattue d'un coup de revolver. Je gisais à plat ventre, sans comprendre ce qui s'était passé. Je ne savais pas si j'allais mourir ou survivre.

C'est exactement l'état d'esprit dans lequel je me trouvais à la mort de mon père. Perdre quelqu'un qu'on aime, c'est subir une blessure physique. Nous ne savons pas si nous serons capables de nous relever et de poursuivre notre route.

Il faut du temps, et des milliers de larmes, pour accepter la mort d'un être cher. Ne reniez pas cette souffrance. Nos larmes sont une eau bénite qui empêche notre cœur de se dessécher.

Les gens qui vous entourent vous seront d'un grand secours dans cette épreuve. Ils ont parcouru avant vous le chemin du deuil. Des parents, des amis, et même des gens que vous n'aviez jamais rencontrés seront là pour vous offrir leur affection et leur sympathie. Dans la peine, nous sommes tous solidaires.

Mon souhait est que ce petit livre vous soutienne dans votre voyage au cœur du chagrin. Je souhaite qu'il vous aide à trouver la paix et à comprendre qu'il existe au moins une chose qui ne meurt jamais : l'amour.

Perdre quelqu'un qu'on aime,
c'est perdre une partie de soi-même.

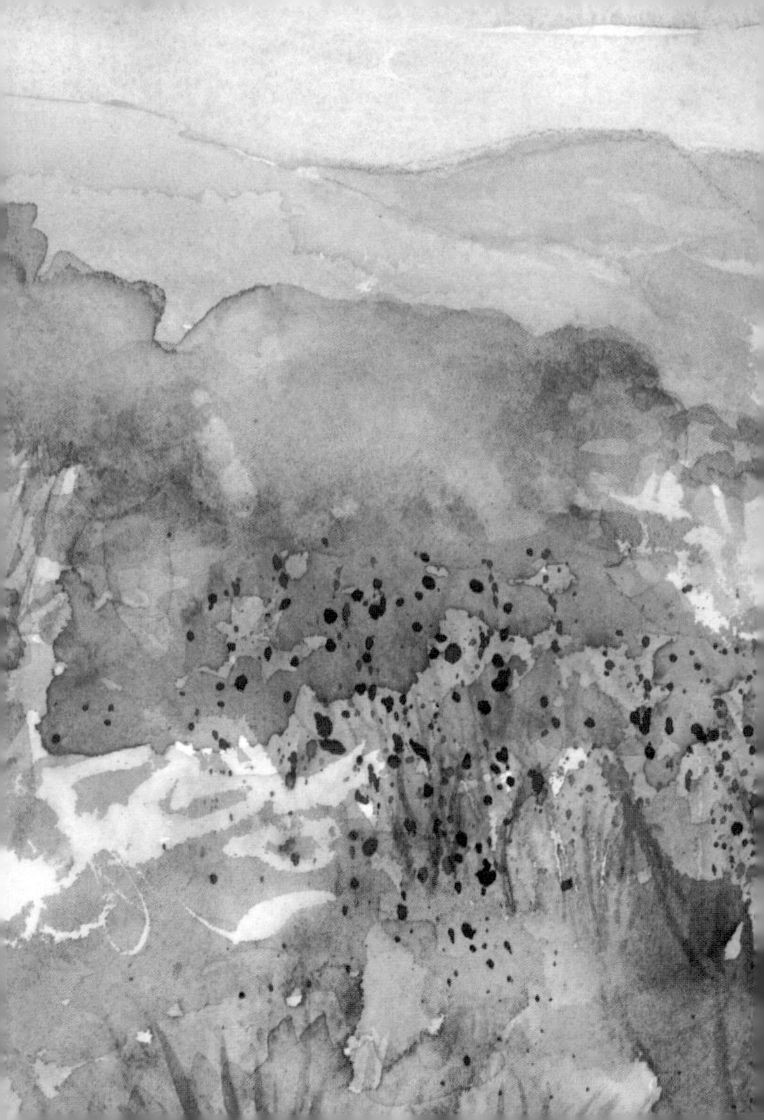

Bien sûr, ceux que nous aimons
ne nous appartiennent pas,

mais notre cœur leur appartient.

Celui que tu aimes
fait partie de toi.

Le perdre,
c'est souffrir dans ton corps.

Cette blessure en toi
est aussi tangible
que le vide que tu ressens
autour de toi.

Tu te demandes
si tu auras la force
de marcher dans un monde
où la personne aimée
ne laissera plus jamais
ses empreintes.

Tu te demandes
comment la Terre
peut continuer de tourner
alors que ton univers
s'est arrêté.

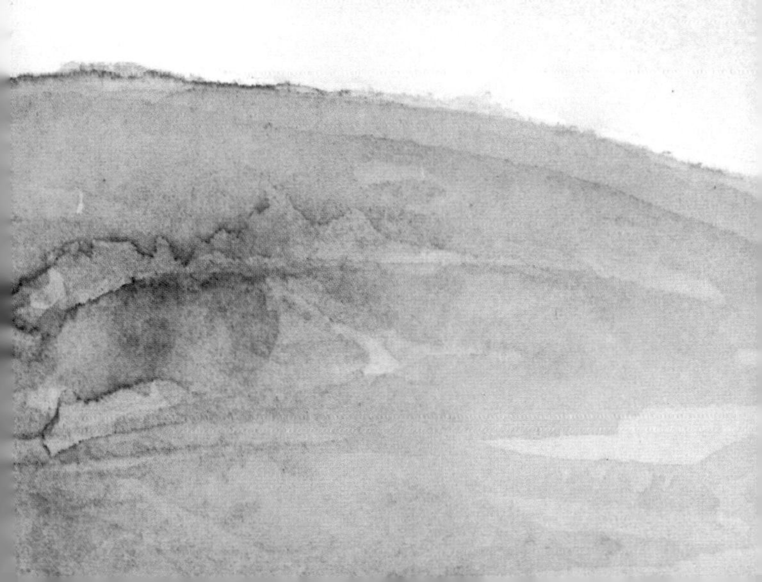

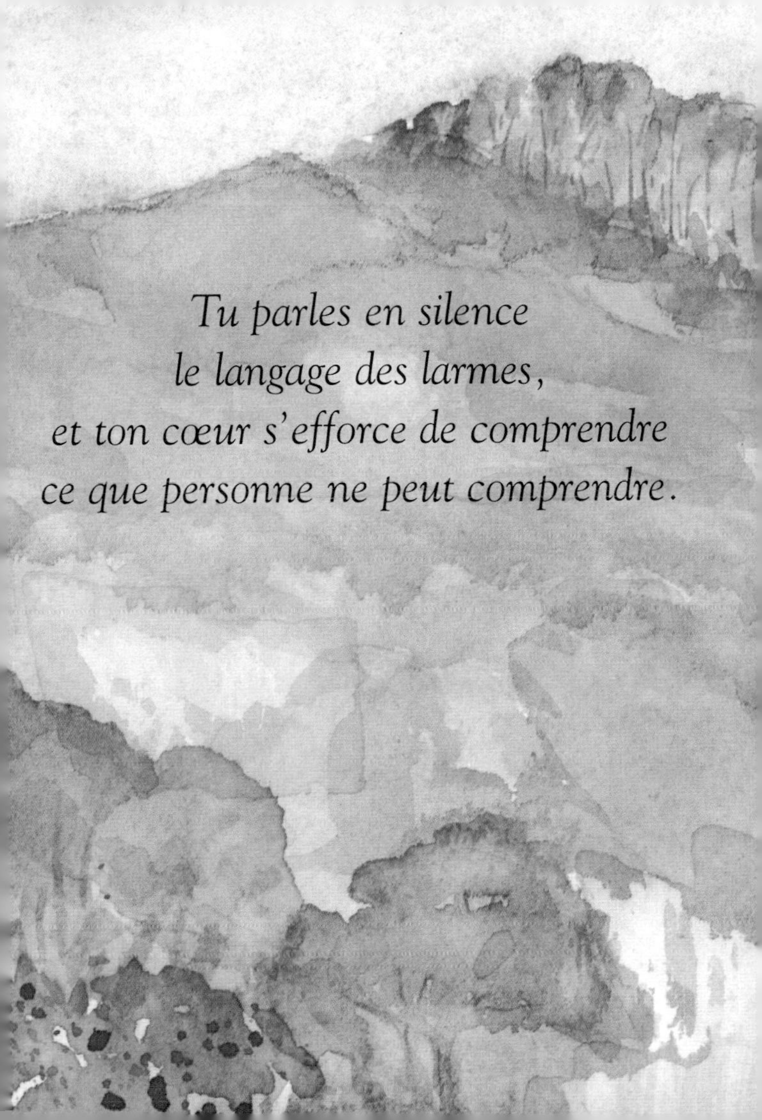

Tu parles en silence
le langage des larmes,
et ton cœur s'efforce de comprendre
ce que personne ne peut comprendre.

Les pensées spirituelles,
les convictions religieuses,
la philosophie,
sont impuissantes
à guérir tes blessures.

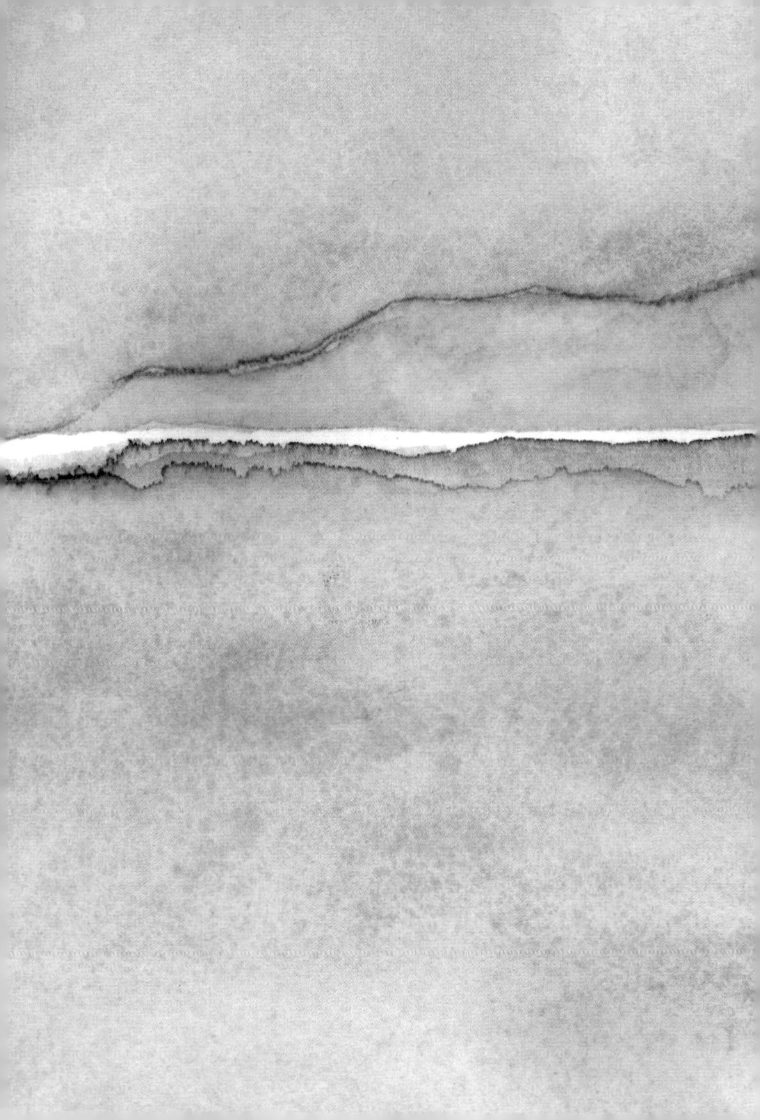

Mais le pouvoir de l'amour
te réconfortera.

l'amour

te réconfortera

Tu trouveras l'amour
dans le cœur
de ceux qui t'entourent
et qui se préoccupent de toi.

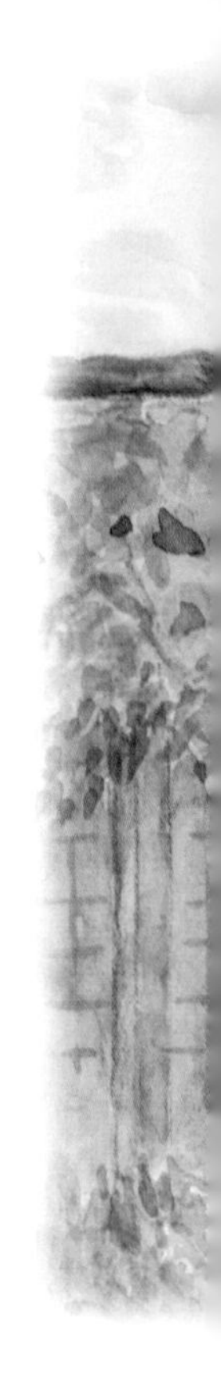

Ceux qui ont traversé
le pays des larmes
où tu te perds aujourd'hui
te montreront le chemin.

Le soleil se lèvera chaque jour et,
chaque nuit,
la lune et les étoiles
brilleront dans le ciel.

Tu entameras
le rituel sacré
du souvenir.

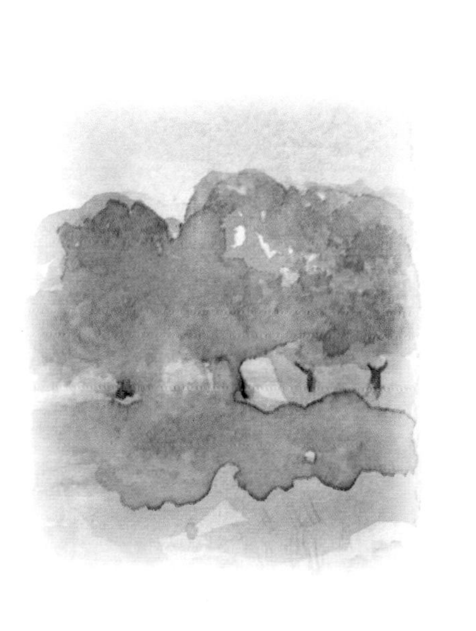

Le chagrin deviendra
ton compagnon de route…
Il nourrira cette partie de toi
qui sait ce que signifient
compassion, force et profondeur.

Ton chagrin
te donnera le courage
d'affronter les défis
les plus exigeants de la vie…

De savoir accepter
ce que donne la vie,
et ce que la vie reprend…

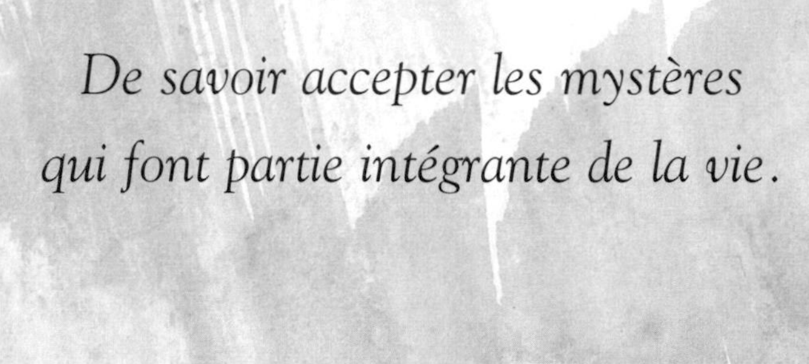

De savoir accepter les mystères
qui font partie intégrante de la vie.

Un beau jour,
la paix reviendra.

La paix

reviendra

Peut-être la paix reviendra-t-elle
dans un timide rayon de soleil
à travers la fenêtre close.

Peut-être la paix
reviendra-t-elle
dans le chant d'un oiseau.

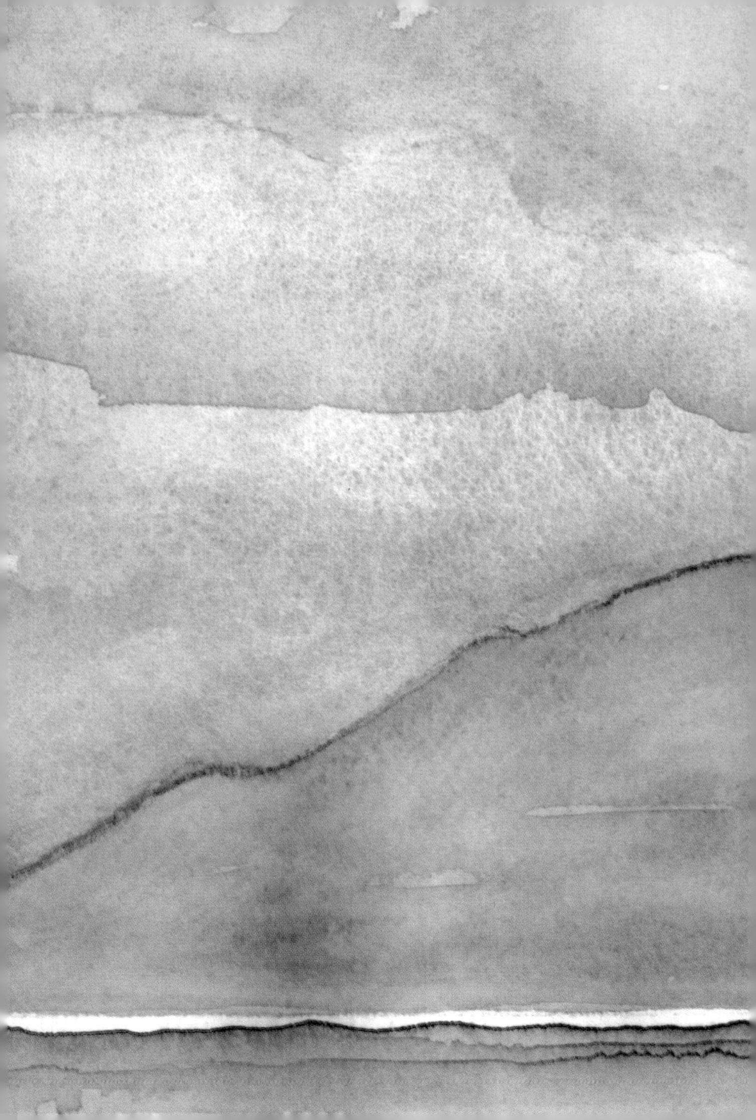

Avec le temps,
le voile du chagrin
se lèvera.

*La paix reviendra
dans ton cœur…*

…et tu sauras

que l'amour partagé

est un don du ciel

qui ne meurt jamais.

Tu sauras que l'amour partagé
est la plus précieuse
et la plus sacrée
de nos richesses en ce monde.

Cet amour est éternel.

À PROPOS DE L'AUTEUR

Susan Squellati Florence

Depuis trois décennies, les cartes de vœux que dessine Susan Florence se sont vendues à des centaines de millions d'exemplaires et ses beaux-petits-livres à plus d'un million et demi d'exemplaires !

Grâce à sa sagesse toute simple et à ses ravissantes aquarelles, Susan Florence nous entraîne à sa suite dans un univers de beauté et de chaleur humaine. Comme le prouve le volumineux courrier qu'elle reçoit, ses lecteurs lui sont reconnaissants de l'aide qu'elle leur apporte. Beaucoup la remercient d'avoir su si bien exprimer, par ses mots et par ses images, ce qu'ils ressentaient sans savoir le dire.

Cette toute nouvelle série sur le thème du **voyage intérieur**, en quête d'une meilleure qualité de vie, invite le lecteur à faire le point. *« Nous ressentons* *tous*, nous confie l'auteur, *le besoin de disposer d'un peu de temps, pour redécouvrir ce qui compte véritablement dans notre existence, ce qui est pour nous source de joie et d'harmonie. Écrire les livres de cette série «* **Voyages intérieurs** *» m'a aidée moi-même à comprendre à quel point l'amour et la paix intérieure nous aident à accomplir dans les meilleurs conditions le difficile voyage de la vie. »*

Susan et son mari Jim ont deux grands enfants, Brent et Emily.

Autres livres de la collection
VOYAGES INTÉRIEURS

2-87388-303-0
Du temps pour soi *le bonheur d'être seul*

2-87388-304-9
L'amour d'une mère est un cadeau
Pour ma mère de sa fille, mère elle-même

2-87388-305-7
Accueillir l'imprévu
et une nouvelle vie peut commencer

2-87388-306-5
Que serait la vie sans **De vrais amis**

2-87388-308-1
Voyage intérieur
la traversée de moments difficiles